JN106227

POCKET

RBG

WISDOM

ルース・B・ギンズバーグ名言集

新しい時、新しい日がやってくる

岡本早織

訳

創元社

Pocket RBG Wisdom
Published in 2019 by Hardie Grant Books,
an imprint of Hardie Grant Publishing
Copyright text ©Hardie Grant 2019

Japanese translation rights arranged with HARDIE GRANT BOOKS
through Japan UNI Agency, Inc., Tokyo

訳者まえがき

　本書は、生涯をアメリカにおける差別解消に捧げた最高裁判事、ルース・ベーダー・ギンズバーグ (Ruth Bader Ginsburg、1933-2020) の名言集です。

　ルースは法律家として、あらゆる差別をなくし、自由と平等を実現することに誰よりも情熱を燃やしながら、公正な判断と他者に対する敬意を忘れませんでした。法廷では、小柄な容姿や控えめな性格からは想像もつかないほど舌鋒鋭く意見を述べ、また困難に直面しても、いつか目標を達成する未来を信じて今できる努力を欠かしませんでした。そうしたルースの闘いぶりは、多くの市民から絶大な支持を集めました。

　彼女の活躍は日本でもしばしば報道されましたが、まだ広く知られているとはいえないでしょう。彼女の名言に触れる前に、ルース・B・ギンズバーグ自身について、ここで少しご説明しておきたいと思います。

差別に直面しながら弁護士の道へ

　ルース・ベーダーは、1933年3月15日に、ニューヨークのブルックリンでユダヤ系移民の家庭に生まれました。当時は女性に高等教育は必要ないと考えられていた時代でした

が、娘に良い教育を受けさせることを願った母の支えにより、幼い頃から読書や勉強を通して、幅広い興味を持って育ちました。

　ルースは、高校で優秀な成績を収めてコーネル大学に進学しました。当時は大学に通う女性が少なく、男女比は4対1でした。数少ない女子学生はみな優秀でしたが、男子学生に遠慮して、その賢さを目立たせないように気を付けていました。しかし、そのような中で、ルースの知性にこそ魅力を見出す男性が現れました。それが、後に夫となるマーティン・ギンズバーグでした。

　この頃、アメリカは「赤の恐怖」と呼ばれる共産主義排斥による社会不安の最中にあったため、彼女は社会を良くしたいと願い、弁護士を志すようになります。「女性は家にいるべき」という当時の考えを持っていた父には反対されましたが、ルースはマーティンと結婚し、ロー・スクール（法科大学院）へ進学する道を選びました。1955年には、二人の間に子どもが生まれました。

　しかし、子育てをしながら進学したハーバード大学ロー・スクールでは、学年500人以上のうち女性は9人のみで、女子学生用の寮は存在せず、女子トイレすら校内に一か所しかないというありさまでした。さらに、女子学生は夕食会で学部長から面と向かって「男子学生の席を奪った」と非難され、図書館では性別を理由に雑誌閲覧室への入室を拒否されるなど、さまざまな差別を受けました。このような環境に加え、子育てと、がんを患った夫の看病をこなしながらも、ルースは懸命に勉強を続けたのです。

数々の性差別訴訟で活躍

　その後ルースは、病気を克服した夫の就職に合わせてコロンビア大学に移籍し、トップの成績で卒業しました。しかし子育て中の女性であることを理由に連邦裁判所や法律事務所には働き口がなく、大学時代の教授が強引に推薦してくれてようやく、地区裁判所判事助手の職を得ることができました。

　1961年からはコロンビア大学の比較法学プロジェクトに参加し、スウェーデンの法制度を研究しました。男女平等が比較的進んだスウェーデンの政策や社会環境を目の当たりにしたことは、ルースに大きな影響を与えました。

　そして1963年からはロー・スクールの教授として働き始めましたが、女性がほとんどいないこの職場でも、もらえる給料が男性より少ない、会議での発言を無視されるなど度重なる女性差別を受けて苦労しました。

　こうした自身の経験から、同じように差別を受けていた当時の女性たちのために、ルースは1972年にアメリカ自由人権協会で「女性の権利プロジェクト」を共同で立ち上げ、性差別にかかわる裁判において、弁護士として平等を求めて闘い始めました。当時は男性ばかりであった判事らに対して、彼女は冷静な思考と言葉を用いて性差別の存在を訴え、弁論した6つの最高裁裁判のうち5つで勝利しました。このことは、アメリカの女性に大きな希望をもたらしました。

　一方で特筆すべきは、ルースは男性が性差別を受けている場合の訴訟でも弁護したことです。これは、女性に対する"特別扱い"を差別だとは思っていない人々の認識を覆し、

性差別は万人に害をもたらすことを明らかにするための周到な戦略でもあったのです。彼女が目指していたのは、単に女性の権利を認めさせることではなく、憲法に書かれている、すべての人の「法の下の平等」を実現することに他なりませんでした。

　これらの裁判での功績を評価され、ルースは1980年に、ジミー・カーター大統領に指名されてコロンビア特別区巡回区連邦控訴裁判所の判事となりました。ここに勤めた13年の間、ルースは時には保守派の判事と意見を同じくするなど中立的な態度を取り、穏健派で慎重な裁判官として知られました。そして1993年、ルースはビル・クリントン大統領により連邦最高裁判所の判事に指名されたのです。女性の連邦最高裁判事は、アメリカにおいて彼女が二人目であり、ユダヤ系としては史上初でした。

リベラル派の最高裁判事として

　アメリカの最高位の法廷である連邦最高裁判所は、アメリカ合衆国憲法にその名が言及される唯一の司法機関です。連邦制をとっているアメリカでは、州ごとに制定された州法と合衆国全体に適用される連邦法があり、連邦最高裁は、これらの法律が憲法に照らして合憲か違憲かを判断します。つまり連邦最高裁は、憲法の解釈に関して最終判決を下す権限を持つということです。

　ここで下される判決は国の政策を動かし、市民生活にも大きな影響を与えるため、個々の裁判結果のみならず、どのよ

うな人物が判事に選ばれるかも、市民の注目を集めます。というのは、定員9名の最高裁判事職は任期のない終身制であるため、ひとたび大統領指名（と連邦議会の承認）によって任命されると、政権が代わってもメンバーが維持され影響力を保つからです。判事が死去により、または自ら申し出て退任すると、時々の大統領は自身や党の政策に有利な判断をするであろう新判事を指名し、最高裁に送り込んできました。

　ルースは民主党大統領の指名により穏健派判事として最高裁入りしましたが、その後のメンバーの入れ替わりによって最高裁の構成が右傾化するなかで、しだいにリベラル派の代表的存在となっていきました。最高裁判決は最終的に多数決で下されるため、ルースの意見とは異なる判決になることも少なくありませんでしたが、彼女は、多数派の判事の法廷意見に対して鋭い「反対意見」を出し続けました。

　ルースが最高裁でかかわった主な訴訟には、男子校に女子の入学を許可するよう求めたアメリカ合衆国対バージニア州事件（1996年）、女性に対する賃金差別が問題となったレッドベター対グッドイヤー事件（2007年）、部分出産中絶禁止法の違憲性を問うゴンザレス対カーハート事件（2007年）、投票における人種差別防止に関するシェルビー郡対ホルダー事件（2013年）、宗教上の理由による保険費の支払い拒否権を争うバーウェル対ホビー・ロビー・ストアーズ事件（2014年）、アメリカ全土における婚姻の平等を求めたオーバーグフェル対ホッジス事件（2015年）などがあります。いずれの判決においても、ルースは女性やマイノリティの権利を擁護する意見を述べました。

「ノトーリアスRBG」の影響力

　自身の信念を貫き続けたルースは、2010年代に入って、大衆的な人気を博すようになります。2013年の投票権法の判決に怒りを抱いていた若者たちが、鋭い反対意見を述べたルースを支持し、彼女は名前の頭文字を取った「RBG」の愛称で親しまれ始めたのです。

　また、ラッパーの故ノトーリアスB.I.G.にちなんだ「ノトーリアスRBG」と題したブログが開設されて、ルースが最高裁で反対意見を発表するたびに、インターネット上で拡散されるようになりました。法廷では対立することも多い保守派のスカリア判事との友情や、オペラ好きの一面、講演などでのウィットに富んだ発言も、親しみやすさの一因でした。

　アメリカ社会が保守的傾向を強めるにつれ、ルースの大衆的な人気は、さらに増しました。講演会には長蛇の列ができ、伝記本の出版やドキュメンタリー映画の製作に加え、彼女が法服に女性らしさを足すためにつけたおしゃれな襟をトレードマークにしたRBGグッズが発売されるなど、最高裁判事としては異例の社会現象が巻き起こりました。ルースは驚きながらも、持ち前の寛容さでこの現象を楽しんでいました。

　ルースは生涯で3回がんに見舞われたにもかかわらず法廷をほとんど欠席せず、体力づくりのためにトレーニングにも励み、がんの合併症により他界するまで最高裁判事として働き続けました。2020年9月の訃報に接して、多くの国民が彼女の死を悼みました。

　しかしルースの影響力の大きさは、今も衰えることはあり

ません。たとえば2021年の国際女性デーには、ワールド・ジャスティス・プロジェクトにより彼女の名を冠した「ルース・B・ギンズバーグ・レガシー賞」が創設され、不平等や性差別を是正するためのプロジェクトに贈られることが決まりました。次世代のために、閉ざされていた扉を力強く開いたルースの功績と実直な姿勢は、アメリカのみならず世界中で評価され、これからも受け継がれていくのです。

日本版について

　本書の原書 *Pocket RBG Wisdom,* Hardie Grant Books, 2019 は、ルース・B・ギンズバーグが法廷や講演、インタビューなどで発した数々の印象的な名言から50余の言葉を選び、5つのテーマに応じて紹介したものです。同社の名言集シリーズの一冊で、手のひらにのるようなポケットサイズの本に、名言と出典だけを記載したきわめてシンプルな作りになっています。しかし一方で、ルース・B・ギンズバーグ自身やアメリカの司法制度、最高裁判決に対する国民の関心とその背景を知らない人にとっては、それぞれの名言にどのような意味があり、なぜ重要なのか理解しにくい側面がありました。

　そのためこの日本版では、すべての名言に訳注をつけ、その発言がなされた背景や意図、関連知識などを簡潔に解説しています。また、アメリカの法とジェンダーを考えるうえで特に重要な役割をなしている、アメリカにおける人工妊娠中絶の法的規制やロー裁判については、訳注補遺として、巻末に詳細な解説を加えました。これらを参考にしつつ、おのお

のの名言から垣間見られるルースの闘志や人柄、次世代に託した思いを味わっていただければ幸いです。

岡本早織

目次

ジェンダーの平等

GENDER EQUALITY

"
女性が真の平等を達成したと言えるのは、
男性が次の世代を育てる責任を
ともに担えるようになった時です。
"

[訳注] 2000年、ジャーナリスト、リン・シェア (Lynn Sherr) との
インタビューでの言葉。現在の女性にとって大きな問題 (まだ残さ
れている問題) は何かという問いに対し、ギンズバーグは「誰が次
の世代を育てるかということです」と答え、引用のように述べた。

ジェンダーの平等

"
　　国家による女性の支配は、

女性の完全な自主性と平等を否定するものです。

　　　　　　　　　　　　　　　　　　　　　　　　　"

〔訳注〕連邦最高裁判事の上院指名承認公聴会における、女性の中絶
の権利に関する意見を述べたときの言葉。男女が平等であるために
は、中絶に関しては当事者の女性が意思決定者であり、彼女の選択
が支配的であるべきとし、それを国家に制限されることは、女性に
とって性別を理由に不利益を被ることであると主張した。

“

私は女性の平等と、

それが守られていないことに関する連邦裁判所管轄の

裁判事例や法律評論記事をすべて読みました。

今では大仕事であるかのように思えるでしょうが、

実際にはあっという間に終わってしまいました。

当時はあまりにも数が少なかったからです。

”

〔訳注〕ギンズバーグは性差別に関する多くの訴訟で原告代理人を務めた。最高裁では1973年から1978年にかけて6件の男女差別訴訟を主任弁護士として担当し、うち5件で勝訴判決を得た。ギンズバーグは男女差別にかかわるあらゆる訴訟資料を読み込んでいたが、当時は事例そのものが少なかった。つまり、それまで女性の権利や性差別は司法の場でも非常に軽視されていたのである。

ジェンダーの平等

"
　私たちはそれぞれ、どんな才能を持っていようと、

人為的な障壁に阻まれることなく、

自由に伸ばすことができなければなりません。

"

〔訳注〕ギンズバーグは、性別に応じて何を好むべきであるとか、ど
の職業に就くべきではないということは人間が勝手に作り出した観
念であり、人はそのような障壁に固有の才能が阻まれるべきではな
いと述べた（p. 31も参照）。

"

無意識の偏見は、その実態を掴むのが

最も難しいことの一つだと思います。

私が気に入っているのは交響楽団の例です。

子どもの頃、オーケストラには女性の団員が

いませんでした。オーディションの審査員たちは、

女性と男性の演奏に違いがあると思っていたからです。

……そこで、ある賢い人が

シンプルな解決方法を考え出しました。

それは、審査員と入団希望者の間に

カーテンをかけることです。

するとどうでしょう、

女性も交響楽団に入れるようになったのです。

"

〔訳注〕ギンズバーグは、現在はもっと微妙で無意識的なレベルで差別が行われていると考えており、気づかれにくい無意識の偏見の例として、このエピソードを挙げた。審査員と入団希望者をカーテンで隔て、姿が見えない（演奏者の性別がわからない）状態で実技試験をしたところ、女性も合格するようになったというのである。ギンズバーグはこの後、あるバイオリニストが「私たちはカーテンの後ろというだけでなく、靴を履かずにオーディションを受けるので、女性のヒールの音が審査員に聞こえないようになっている」と語ったことも付け加えている。

ジェンダーの平等

"

平等な保護と個人の自主性のどちらを選ぶかと

問われましたが、私の答えは「両方」です。

これらは女性の人生と尊厳の中核をなすものです。

女性は自身のために決断しなければなりません。

政府が勝手に決めることは、

女性を自らの選択に責任を持つ完全な大人として

扱わないことになります。

"

［訳注］しばしば女性に対する差別的な扱いには、「女性を保護するた
め」というもっともらしい弁解が付される。ギンズバーグは、男性
が女性に与えているつもりの「台」が、当の女性にとっては「檻」で
しかないことを理解してもらうことが、70年代に扱った訴訟にお
ける自身の使命だったと語っている。女性の権利に関して、保護と
自主性のいずれかを迫られることは少なくないが、ギンズバーグは
「両方」重要であると主張した。

“
男性と女性は平等な尊厳を持つ人間であり、

法の下で等しく重視されるべきです。
”

［訳注］至極当然のように思える言葉だが、実際はそうでないことを
ギンズバーグはよく知っていた。そもそも「我ら合衆国の人民は」
という言葉から始まり、人民の平等をうたう合衆国憲法じたいが、
制定時には「人民」から女性や奴隷、先住民を排除していたのであ
る。性差別に関する訴訟をいくつも担当し、いかに男女が法の下で
すら不平等に扱われてきたかを熟知していたギンズバーグは、弁論
の際にこのように指摘した。

　なお、ギンズバーグは男性が不当な不利益を被る性差別事例でも
弁護して勝利している。

ジェンダーの平等

"

女性から選択権を奪い、

国家に渡そうとする人々は、

負け戦をしています。

時の流れは、

変化に味方しているのです。

"

〔訳注〕ニューヨーク・タイムズの取材で、妊娠差別や中絶法の問題
について語った際の発言。ギンズバーグは、生殖に関する選択を政
府が女性のために行う必要はないという考えである。そしてたとえ
ばモーニングアフターピルの普及などにより、今後もっと女性が早
期に生殖の選択を行えるようになるであろうと述べている。

　医療の進歩により、安全な中絶技術が確立すれば、女性が中絶を
選択する権利はより強固に認められるとギンズバーグは考えていた
のだろう。

"

60年代後半に女性運動が活気づき、

平等を実現するために

行動を起こせるようになったとき、

どれほど私の心が浮き立ったか想像できるでしょう。

以前は、誰も聞く耳を持ちませんでした。

スーザン・B・アンソニー、

エリザベス・キャディ・スタントンなどの、

真に素晴らしく勇敢な女性たちにとっては、

乗れる波がありませんでした。

でも、私たちにはありました。

ついに社会が耳を傾けてくれる時代が

到来したのです。

"

〔訳注〕スーザン・B・アンソニーとエリザベス・キャディ・スタントンは19世紀のアメリカ合衆国の女性参政権運動家。ともに協力して、女性の権利拡張を求める運動の指導的役割を果たした。人種差別も大きな問題となっていた当時、女性の権利問題の重要性は認められにくく、彼女たちの運動は1920年の（合衆国全体の）女性参政権獲得に繋がったものの、その後アメリカの女性権利運動は一時収束した。

　ギンズバーグはコロンビア大学のロー・スクールを優秀な成績で

卒業したにもかかわらず、子持ちの女性であることを理由に就職に苦労した。インタビュアーのリン・シェアも語っているように、当時女性は、多くの職業で性別を理由に就職を拒否され、あるいは補助的な仕事しか任されなかったのである。ギンズバーグはそのような社会情勢で女性の権利を求めたり理解を促したりすることは「風に向かって話している」ようだったと感じており、女性運動が60年代後半に入って社会全体に勢いづいてきたことに勇気をもらったと語っている。

"

かつては、

性別によって活動領域が異なると考えられていました。

男性が世界を動かし、

女性は家にとどまる人だと思われていたのです。

"

[訳注] 2015年、ハーバード大学ラドクリフ高等研究所からメダルを授与されたギンズバーグは、若い女性に贈るアドバイスとして「自分が大切に思うことのために闘うこと、そしてそれを他の人が仲間になってくれるような方法で行うこと」(p.77参照)と答えた。また、彼女が法律家として活動し始めた1970年代を振り返り、「当時の仕事は(上記引用のような)女性の才能を妨げる固定観念を取り除くこと、閉ざされた扉を開いていくことだった」と語り、現在の女性は大きな可能性を持っていると励ました。

ジェンダーの平等

"

　ある人の性別と能力には、
何の関連性もありません。

"

〔訳注〕ギンズバーグは男女差別をなくすために、主に合衆国憲法
修正第14条の平等保護条項に基づいて法廷で闘ってきた。彼女は
1973年のフロンティエロ対リチャードソン裁判（空軍に入隊した女
性が、性別を理由に住宅手当をもらえず、提訴）で、弁護士として
初めて臨んだ連邦最高裁での口頭弁論において「修正第14条の起草
者は、なぜ人種差別を憎むべきものと考えたのでしょうか。肌の色
と能力には何の関係もないからです。同様に、性別も能力に関係し
ません」と述べた。

"

人工妊娠中絶の規制は是正されなければなりません。

経済力のある女性が中絶を選択できないことは、

今後ないでしょう。

これは、私にとっては火を見るよりも明らかです。

……ロー裁判の前に中絶を認めるよう

法律を変えた州は、今さら元に戻しはしません。

つまり現在の制度は、

経済力のない女性に悪い影響だけを与えるもので、

それ以外にはなりえないのです。

"

［訳注］アメリカ合衆国では、州によって中絶規制の有無や厳しさな
どが異なる。1973年のロー裁判で、条件付きとはいえ女性が中絶
を選択する権利を連邦最高裁が認めて以降、この判決に基づく範囲
で全国的に中絶が認められるようになったものの、合法的に中絶手
術を受けられる医療機関の数やその条件は地域によって差がある。

　2003年に部分出産中絶が禁止されるなど、中絶規制が強まる傾
向はあるが、ロー裁判以前から中絶を認めていた州は今後その方針
を変えることはないだろうとギンズバーグは考えている。そして経
済力のある女性であれば、どこに住んでいようと州を越えて医療機
関にアクセスし、合法的に、安全に中絶を行うことができるだろ
う。したがって、中絶規制法は貧しい女性に不利益ばかりもたらす
とギンズバーグは主張する。女性の権利侵害だけでなく、その権利

ジェンダーの平等

をすべての女性が平等に行使できないことも問題視しているのである（アメリカにおける中絶規制法の変遷とロー裁判については巻末の訳注補遺を参照）。

"

フェミニズムを最も簡単に説明し、

その概念を捉えているのは、

マーロ・トーマスが歌う曲の『Free to be You and Me

（ありのままのあなたと私で）』でしょう。

あなたが女の子でも、医者、弁護士、

インディアンの族長、なんだって好きなものになれる。

あなたが男の子でも、教えることや

世話をすることが好きで、

お人形を持っていたっていいのです。

私たちは自分の才能を、それが何であれ

伸ばすことができなければならないし、

決して天があたえたものではない、

人為的な障壁に阻まれることがあってはなりません。

"

〔訳注〕フェミニズムは女性への特別扱いを望んでいるのではなく、男性を女性より優遇することをやめ、男女を平等に尊重することを求めている。ギンズバーグはマーロ・トーマスの曲を連想しながら、性別にかかわらず、誰もが自由に個々の才能を伸ばす権利を持っていると強調した。

　なお、「インディアン」は差別的表現であるとして、現在では「ネイティブ・アメリカン」に改める傾向がある。一方で、「ネイティ

ジェンダーの平等

ブ・アメリカン」にはアラスカやハワイなどの他の先住民族も含む場合があり、個々の民族性や歴史的経緯を軽視しているという批判も存在する。ギンズバーグはそのような背景をふまえ、個別の民族を示すために「Indian」という単語を使ったと判断し、翻訳もそれに従った。

"

　今日の若い女性には、大きな強みがあります。

　もう閉ざされている扉がないということです。

　70年代は、女性にとって閉ざされていた扉を

　　　　順番に開けていくことが全てでした。

"

〔訳注〕p. 27と同じく、2015年のラドクリフメダル受賞時の挨拶か
ら。その後、大きく保守化に舵を切り、またさらに格差も広がって
いるアメリカで、すべての女性に「閉ざされている扉がない」と言
えるかはわからないが、ギンズバーグの世代の女性たちが順番に開
けていった扉を、再び閉じさせないようにせねばならないだろう。

最高裁判所

THE SUPREME COURT

"

「最高裁判所には何人、女性判事がいれば十分か？」

と訊かれることがあります。

私の答えは「9人全員です」。

"

〔訳注〕アメリカ合衆国連邦最高裁判所の定員は9名とされており、1名の首席判事（長官）と8名の陪席判事からなる。ここでギンズバーグは、言葉通り9名全員を女性にすべきだと主張しているわけではないだろう。しかし1981年にサンドラ・デイ・オコナー判事が初の女性として就任するまでは、最高裁判事は9名全員男性であることが当たり前で、誰もそれを疑問に思わなかった。ギンズバーグは衝撃的な返答をすることで、見えにくい差別に目を向けさせようとしたのである。

最高裁判所

"

反対意見は、未来の時代に語りかけます。

単に「同僚判事は間違っている、私ならこうする」と

言うためのものではありません。

優れた反対意見は、

未来の判決になることもあるのです。

"

〔訳注〕連邦最高裁判所の判決は、9人の判事による多数決で決まる
が、意見を異にする判事は反対意見を出すことができる。

　ギンズバーグは、こうした反対意見は、単に最高裁判決への不服
を表明するものではなく、未来の判決に望みを託すものと考えてい
る。優れた反対意見は今後の判決に生かせるためだ。ギンズバーグ
曰く、反対意見の執筆者は「今日のためではなく明日のために書い
ている」のである。

"
　　部分出産中絶禁止法が政府の正当な利益を
　もたらすという考えは、端的に言って不合理です。
　　今回の最高裁の判決は、これまでこの裁判所が
　　　　　繰り返し宣言してきた権利を
　なし崩しにしようとしているとしか思えません。
　その権利は、女性の人生の中核をなすものだという
　　　　理解が深まっているというのに。
"

〔訳注〕2003年に制定された部分出産中絶禁止法（PBAB法、胎児の一部を子宮外へ取り出してから死に至らしめる方法での中絶手術を行うことを禁止する）の違憲性を問う2007年のゴンザレス対カーハート裁判において、最高裁は5対4で合憲との判断を下した。この方法で中絶手術が行われる事例は少なく、判決が実際に与える影響は限定的とされたが、1973年のロー裁判以来初めて、最高裁が連邦レベルでの中絶禁止法に合憲の判断を下したことは、さらなる中絶規制に繋がることを危惧するリベラル派や女性団体から強く批判された。

　規制反対派であるギンズバーグは反対意見で、今回の判決は、これまで最高裁がロー裁判、ケイシー裁判（1992年）、ステンバーグ裁判（2000年）を通して中絶の選択を女性の権利と認めてきたことを台無しにするものであると主張した。

最高裁判所

"

「私たちは一時的な好奇の的として

存在するわけではありません。

私たちはここに、そしてすべての多様性の中にいる」と

世界に発信しているのです。

私が最高裁に加わって7期目であった

直近の期間において一日も、

私を「オコナー判事」と呼ぶ人はいませんでした。

6年かかりましたが、これは私にとって、

やっとここまで来たという証でした。

最高裁に女性が2人いると皆が認識したのです。

"

〔訳注〕1981年に初の女性連邦最高裁判事となったサンドラ・デイ・オコナーの後、ギンズバーグは史上2人目の女性として1993年に連邦最高裁入りした。しかしギンズバーグは、就任から数年間、たびたび「オコナー判事」と間違われていたという。連邦最高裁に女性判事が2人いることが定着するまでに、6年もの歳月を要した。

"

1956年にロー・スクールに通っていた頃を
思い出します。当時、500人以上の学年のうち
女性は9人だけでした。
つまり、ほとんどのクラスにおいて、
女性が2人ずつしかいなかったのです。
いつも周りの視線を感じていて、質問に答えるたびに、
女性を代表しているようでした。
実際はそうではなかったかもしれませんが、
確実にそのように感じました。
私たちは異質であり、好奇の的でした。

"

〔訳注〕2006年にオコナー判事が引退し、連邦最高裁でただ一人の
女性判事となった感覚を、ギンズバーグはロー・スクール時代の肩
身の狭さにたとえている。

　1950年代はまだ女性が法律を学ぶことが現在ほど一般的ではな
く、ハーバード大学ロー・スクールの数少ない女子学生は、入学時
の夕食会で学部長から「男子学生の席を奪った」と非難されたとい
う。性別による差別は就職時にも、法律家になってからも続いた。
少数派であるということの風当たりの強さや緊張感、女性を歓迎し
ない当時の法曹界の雰囲気をギンズバーグは語っている。

最高裁判所

"

裁判官は考え続けます。そして、

変わることができます。

もし今日、裁判所にとって盲点があっても、

明日にはその目を開くことができると、

私はいつも希望を抱いています。

"

〔訳注〕2014年のホビー・ロビー裁判では、女性従業員にかかる医療保険に避妊薬などが含まれることから、敬虔なクリスチャンである雇用主が宗教上の理由で保険費の支払いを拒否したことが議論となった。最高裁は雇用主が支払いを拒否する自由を認めたが、ギンズバーグは反対派だった。その後のインタビューでギンズバーグは、この裁判について、男性判事たちはこの判決が女性に及ぼす影響を理解しておらず、裁判所に盲点があったと認めた。しかし、引用のように、彼らの考えを変えることができるとも希望を込めて付け加えた。

p.38の発言と同じく、最高裁判決が自身の意に添わぬものであっても、あるいはその判断を誤ったと感じることがあっても、未来の裁判所の賢明な判断に希望を見出そうとするギンズバーグの前向きな考え方が読み取れる。これは、全力で最善を尽くしてさえ望む結果を得られなかったとしても、絶望することなく粘り強く闘い続けようとする彼女の信念の表れといえるだろう。

THE SUPREME COURT

"

私はかつてロー・スクールの教師でした。

今でもそれが、同僚判事に対して

私が果たしている役割だと思っています。

彼らは女性として育つということを経験しておらず

……女性の前に立ちはだかる理不尽な障壁について

十分に理解していないからです。

"

〔訳注〕ギンズバーグは1963年からラトガース大学ロー・スクール
の教員となった。当時、ロー・スクールで常勤の教授職に就いてい
る女性は全米でたった14人しかおらず、ラトガース大学には女性
教授は彼女ともう一人しかいなかった。1972年には、ギンズバー
グはコロンビア大学で女性初の常勤教授になったが、ここでも同僚
は男性ばかりだった。そのような環境で、ギンズバーグは学生たち
に性差別と法について教えていた。その経験をふまえて、ギンズ
バーグは最高裁判事になった現在でも、同僚の男性判事に対して教
師のような役割、つまり彼らが直面してこなかったために認識しに
くい差別に気づかせる役割を果たしていると語る。

"

私たちは、個人のエゴよりも、
最高裁判所のことを重視しています。
この場所が、政府と同格の第三機関として、
世界に対して判事の同僚意識と独立性の
手本となるように全力を尽くしています。

"

〔訳注〕この言葉からは、ギンズバーグの連邦最高裁に対する敬意を
読み取ることができる。彼女は自分や個々の同僚判事がどのような
意見を持っているにせよ、異なる背景、思想、経験を持つ複数の判
事たちが意見を交わし合い、合議によって結論を下す最高裁判所の
プロセスを重視していた。そして世界に恥じない判決を下せるよ
う、常に力を尽くしていたのである。

　また、ギンズバーグは、連邦最高裁は今まで勤めてきたどの職場
よりも同僚意識が強いとも語っている。

"

とても重要と思う案件に関して

過半数を得られなかったとき、

私は、ほんの束の間がっかりします。

でもその後には、次のチャレンジに気持ちを切り替え、

全力を尽くします。

これらの重要な問題が消えることはない、

何度でも帰ってくるとわかっているからです。

また新しい時、新しい日がやってきます。

"

〔訳注〕変化を望む人にとって、目に見える進展なしに信念を保ち続けることは難しい。しかしギンズバーグは、根本的な変革を成し遂げるために、地道だが着実で後戻りしにくい道を選択した。法と合議制の裁判制度を尊重し、公正なプロセスを通じて変化を勝ち取ることを選んだのである。p. 38やp. 42の引用からもわかるように、全力を尽くしたにもかかわらず望む結果を得られなかった場合にも、ギンズバーグは諦めなかった。優れた反対意見を書き、未来の裁判、未来の世代に望みを繋げた。

最高裁判所

差 別

DISCRIMINATION

"

私たちは、特定の型に押し込められ、

歴史的に差別の対象となってきた

集団に属しているからといって、

自らの才能を十分に追い求め、

できうる形で社会に貢献することから

妨げられるべきではありません。

"

〔訳注〕リン・シェアとのインタビューで、ギンズバーグが多く扱っ
ている男女の問題は本当に「性別の戦い」なのか、それとも他に原
理があるのかと尋ねられたときの発言。ギンズバーグは、これは人
権の問題であり、男性もしくは女性として、あるいはどの民族・信
仰のもとに生まれたかを理由に、何かを妨げられてはならないとい
う課題の一部なのだと答えた。上記の引用は、その核となる考え方
を述べたものである。

差別

心ない言葉には耳を貸さないことが一番です。

怒りや苛立ちでは、

相手を説得することはできません。

〔訳注〕p.55の発言を見ればわかるように、ギンズバーグは怒りの感情そのものを否定しているわけではない。しかし怒りにまかせた言動や、負の感情にとらわれ続けることにはあまり効果を認めていなかった。これは彼女の母親からの教えでもあるが、法律家としての立場からも、相手の無礼な言動にいちいち感情的に反応するよりも、冷静に自分の意見を述べたり、説得を試みたりする方が効果的だったのだろう。

“

　　　　平等をうたう最も偉大な声明は

　　　　「独立宣言」の中にありますが、

　　　これは奴隷所有者によって書かれました。

　　　　　　　　　　　　　　　　　　　　　　　　”

〔訳注〕ニューヨーカー紙のインタビューにおいて、合衆国憲法は
1787年の制定時の意味に基づいて解釈すべきとする原典主義の風
潮について尋ねられたときの言葉。

　1776年にアメリカ合衆国がイギリスから独立する際に発した「独
立宣言」では、すべての人間は生まれながらにして平等であり、生
命・自由・幸福の追求などの権利を与えられている旨が述べられて
いる。しかしこの宣言文の主な起草者だったトーマス・ジェファソ
ンは、奴隷廃止論者ではあったが、一方で多くの奴隷を所有しても
いた。

　ギンズバーグは、今日のジェファソンなら、「平等という考えは、
社会の変化に合わせて時間をかけて実現していくものだ」と言うだ
ろうと続ける。合衆国憲法もコモン・ロー（イギリスで、主に12
世紀後半から、裁判所で判例が蓄積されていくことにより形成さ
れた慣習法体系）の伝統に属しており、時代を経て個々の法律も、
デュー・プロセス（法の適正な手続き）の考え方も発展し、そうし
てようやく平等な保護が実現してきた。憲法が示した理念が具体的
にどのように実現されていくかは時代によって変わるが、憲法が永
続することの意義をギンズバーグは確信していた。

カリフォルニアの建物に
もっと耐震性が必要であるように、
……投票において人種間の格差が大きい場所には、
意図的な人種差別を防ぐための
さらなる対策が必要です。

〔訳注〕2013年6月、連邦最高裁は、1965年に制定された投票にお
ける人種差別を禁じる投票権法の第4条を違憲とし、実質第5条も
無効化する判決を下した。第5条では、深刻な人種差別が発生して
いた特定の地域において、事前承認なしに投票に影響する法的変更
を行うことを禁じており、第4条でその条項が適用される範囲が示
されていた（第4条が無効化すれば、第5条も執行できない）。

　ギンズバーグはこの判決に対する反対意見で、事前承認が差別的
な変更を防いでいる証拠は十分あると指摘し、地質的に地震が発生
しやすいカリフォルニア州で建造物の耐震基準が更新されるよう
に、投票において人種格差がある場所には、差別を防ぐための対策
をし続ける必要があると主張している。

"

法改正の事前承認が実施されており、

差別を促すような変化を食い止めるために

効果を発揮し続けているときにそれを投げ出すことは

……濡れていないからといって

嵐の中で傘を投げ捨てるようなものです。

"

[訳注] p.52と同じく、投票権法の一部違憲判決に対するギンズバーグの反対意見からの引用。投票権法が投票に関する法的変更に事前承認を求めていることによって、人種差別が起こらずに済んでいるのに、現在差別が起きていないからといってその仕組みを無効にすることは、自ら不利益に身をさらすようなものだと主張した。

すべての人にとっての結婚の平等について

"

〔同性愛者の結婚を認めても〕結婚を望むあらゆる動機、

結婚によってもたらされるあらゆる恩恵は

変わりません。

異性愛者のカップルから何かを奪うことには

ならないのです。

異性愛者は現在と全く同じ動機で

結婚することができて、

今と変わらぬ恩恵を受けることができます。

"

〔訳注〕ギンズバーグが同性カップルの結婚を支持したことは、彼女の人権に対する考え方をふまえれば自然なことだろう。ある州で正式に結婚を認められた同性カップルは、他の州でも同様の結婚の資格を有すると最高裁が判断し、全米で同性婚を認めたオーバーグフェル対ホッジス裁判で、ギンズバーグは引用のように主張した。

この口頭弁論でギンズバーグは、他にも「すでに今日の結婚は、かつてのような、男性が支配し女性が従属する関係ではありません。ならば、州がかつての結婚に固執する選択は許されるべきなのか」、「もし70歳のカップルが結婚を望んできたとしたら、あなたは何も質問する必要はないでしょう。そのカップルが子どもを持つつもりがないのは明らかなのですから」と述べることにより、同性カップルが結婚する権利を擁護した。

"

ひとつだけ言えるのは、

私はいかなる理由の差別にも

敏感に反応するということです。

なぜなら、私自身も、

差別を受けることに対する怒りを

経験してきたからです。

"

〔訳注〕ギンズバーグはヤフーのインタビューで、特定の宗教グループ全体の入国を禁止することは合憲かと問われた際、この問題が将来的に最高裁に持ち込まれる可能性を考慮し、ここで自身の判断を予告できないとしながらも、少女時代のエピソードを挙げて私的な見解を述べた。それはギンズバーグが幼い頃、ペンシルベニア州の芝生で「犬・ユダヤ人お断り」という看板を見たときの話である。ユダヤ系移民の娘だったギンズバーグは、「私はユダヤ人だけどアメリカ人だ。アメリカ人はこんなことを言ってはいけない」と言ったという。そして、自身がそうした経験をしたからこそ、あらゆる差別に敏感であると述べた。

　このインタビューは2016年10月、ヒラリー・クリントンとドナルド・トランプが争った大統領選挙戦中に行われており、この質問は、トランプがイスラム教徒の入国禁止などを公約に掲げていることをふまえたものである。

彼女自身

HERSELF

“

今も昔も、少し聞き流すくらいが丁度よい、

というアドバイスが大いに役立っています。

結婚においてだけではなく、

同僚との関係でも。

”

〔訳注〕「良い結婚生活の秘訣は、時には聞こえないふりをすること」
というのは、ギンズバーグが結婚したとき、義母に授けられたアド
バイスである。そしてこのアドバイスを、最高裁を含む彼女の歴代
の職場でも生かしたとギンズバーグはたびたび語っている。p.81
の引用にもあるように、心無い言葉にいちいち取り合わず、時には
細部に目をつむることも必要だとギンズバーグは考えていた。

彼女自身

"

すべてを同時に手に入れることはできません。

性別にかかわらず、そんな人はいませんよね？

人生を振り返ってみると、

私はすべてを手に入れたと思います。

ただしその時々には大変なこともありました。

"

〔訳注〕ヤフーのインタビューでの発言。女性が職業的に成功するには、仕事を分担してくれる思いやりのあるパートナーの存在が重要であると語った（夫マーティンを想定した発言だが、「パートナー」は必ずしも結婚相手や恋人だけを指すのではないだろう）。この引用の後には、「思いやりのあるパートナーがいれば、助けを必要としている別の誰かを助けることができる」と続く。ギンズバーグは、夫の支えがあったからこそ、判事としての仕事に打ち込むことができ、最終的には「すべてを手に入れた」と思えるに至ったと考えている。

"

私は自分の意見やスピーチを通じて、

見た目や肌の色、

性別によって人を判断することが

いかに間違っているか、

気づいてもらえるように努力しています。

"

[訳注] 2015年2月のMSNBCのインタビューでの発言。女性は年齢を重ねるごとに先鋭化していくという意見をどう思うかと尋ねられ、ギンズバーグは、社会はすべての人の才能を生かすべきだという自身の姿勢や願望は、アメリカで女性運動が復活した70年代から変わっていないと答えた。そして、以前は差別を「そういうものだ」と受け入れ、私にはどうすることもできないと思っていたが、今では事あるごとに、差別の理不尽さを訴えていると語っている。

彼女自身

"

もし何でも才能があったなら……
大物の歌姫(ディーバ)になりたい。

"

[訳注] 2015年ジョージタウン大学で行われた法学生向けの講演での言葉。ギンズバーグは、より良い、他者が生きやすい社会を実現させるために法律家の道に進んだことを話し、もし何でも才能があれば歌姫になっていたとつけ足して会場の笑いをさらった。

　ギンズバーグはオペラ好きだったのでオペラ歌手を想定していたと思われ、彼女の人柄を表す一言としてしばしば紹介される。

"
思いやりにあふれるパートナーがいてくれたら、

助けを必要としている他の人を助けられます。

私のパートナーは、私の仕事を

彼の仕事と同じくらい重要だと考えてくれました。

そのことが私の人生を大きく変えたのだと思います。
"

［訳注］ルースはコーネル大学で、一年先輩だったマーティン・ギンズバーグに出会い、1954年、卒業の年に結婚した。翌年に第一子が生まれた後、ルースは夫と同じハーバード大学ロー・スクールに進学。しかし在学中にマーティンはがんを患い、ルースは幼い娘の養育と夫の看病、そして法科大学院生（療養中の夫の分もノートをとっていた）の三足の草鞋を履くことになった。がんを克服したマーティンがニューヨークで職を得ると、ルースはマーティンに合わせてニューヨークのコロンビア大学ロー・スクールに転入した。

　一方、ルースがアメリカ自由人権協会で女性の権利プロジェクトを立ち上げ、弁護士としてのキャリアを本格化させると、マーティンは料理をはじめとする家事を積極的に担当し、妻が社会で活躍し重要な仕事を果たせるように支えた。また、ルースのコロンビア特別区巡回区連邦控訴裁判所への赴任に合わせて、大成功していたニューヨークでの自身の仕事を辞めてワシントンに移住した。

　このような平等夫婦関係は1950年代には極めて珍しいことだった。ルースはマーティンを親友であるともいい、彼との出会いが最大の幸運だと語っている。

"

母はいつも

私に二つのことを教えてくれました。

一つはレディであること、

あと一つは自立することです。

私の世代では、女性が法律を勉強することは

一般的ではありませんでした。

40年代に育ったほとんどの女性にとって、

B.A.（学士号）よりM.R.S.（妻）のほうが

重要な称号だったのです。

"

〔訳注〕ギンズバーグにとって母セリア・ベーダーは非常に大きな存在だった。母は娘に、引用に示される二つのことを繰り返し言い聞かせていたという。

「レディであれ」とは、p.81の引用でも示されているように、感情をコントロールして礼儀正しく振る舞い、怒りや嫉妬といったエネルギーを消費するだけの感情に流されてはならない、という意味であった。また、自立せよという教えは、当時の母親が娘に望むこととしては珍しいものだった。母は学業優秀であったにもかかわらず女性だからという理由で進学を許されず、働いて兄の大学生活を支援せねばならなかった。母は娘が同じ道を歩まぬよう、ギンズバーグが幼い頃から大学資金を貯め、彼女の学業を奨励した。しかし

母はがんを患い、ギンズバーグが高校を卒業する前日に息を引き取った。

　ギンズバーグは最高裁判事の任命スピーチでも母の存在について語り、「女性が志を持ち、それを達成することができ、娘が息子と同じように大切にされる時代に母が生きていたならば、彼女がなりたかったであろうもののすべてに私がなれるように祈ります」と述べている。

"

［オコナー判事は］化学療法が必要なときは、

金曜の午後に受けなさいと言いました。

週末に治しておけば、

月曜には裁判所に戻ってこられるからです。

"

［訳注］ギンズバーグは1999年に大腸がんが発覚し、化学療法や放射線療法、大規模な手術を受けた。しかし、同僚のオコナー判事（以前同様にがんの化学療法を受けていた）のアドバイスもあり、法廷を欠席せずに完治させることに成功した。ギンズバーグはその後も2009年と2018年に、異なるがんの手術を受けているが、最高裁の口頭弁論を欠席したのは3度目の手術の直後に一度だけだった。また、ギンズバーグはパーソナルトレーナーをつけて日常的に体を鍛えており、ハードな最高裁判事の職務を全力でこなせるよう努力を欠かさなかった。

> "
> ワークライフ・バランスは、
> 私の子どもたちが幼い頃にはなかった言葉ですが、
> 当時私が経験した時間の配分を言い表すのに
> ぴったりの言葉です。
> "

〔訳注〕ギンズバーグは1955年に娘ジェーンを出産し、翌1956年からロー・スクールで学び始めたが、同じく法科大学院生だった夫ががんを患い、育児と家事、夫の看病をしながら学業を続ける多用な日々を送った。その頃の生活時間の配分は、まさに今日でいう「ワークライフ・バランス」だったとギンズバーグは語る。

　引用の後には「私がロー・スクールで成功したのは、間違いなく娘ジェーンがいてくれたからです。私は午後4時まで授業を受け、熱心に勉強しましたが、それからはジェーンの時間で、公園で遊んだり、くだらないゲームをしたり、おもしろい歌を歌ったり、絵本やA.A.ミルンの詩を読んだり、お風呂に入れたり、食事をさせたりして過ごしました。そしてジェーンが寝静まった後、また新たな気持ちで法律の本を読み始めました。私の生活の各部分は、他の部分からの休息を提供し、法律の勉強だけをしているクラスメートにはないバランス感覚を与えてくれました」と続く。

“

もしもあのとき、こうだったら、と

考えることがあります。たとえば、

私がアソシエイト弁護士として採用されていたら、

そのまま昇進して、今頃は引退した

パートナー弁護士になっていたかもしれません。

人生においては、たびたび、

障壁だと思っていたことが

素晴らしい幸運に転じることもあります。

”

［訳注］パートナーは比較的規模の大きな法律事務所の共同経営者である弁護士、アソシエイトはパートナーの部下として補佐的な業務を行う弁護士を指す。

　ギンズバーグは優秀な成績でロー・スクールを卒業したにもかかわらず、女性（しかも子育て中）であることを理由に、一般的な就職先であった弁護士事務所への勤務を断られていた。最終的に、地区裁判所の判事助手として何とか職を得ることができたものの、優秀なロー・スクール修了生としては華々しいスタートとはいえなかった。しかし、もし順調に弁護士事務所に就職できていたとしたら、連邦最高裁の席に座ることはなかったかもしれない、障壁が思わぬ幸運に転じることもあると語っている。

"

私の裁判所の助手が、このTumblrと、

「ノトーリアスRBG」が

何のパロディなのか教えてくれました。

今では孫が気に入っていて、

私も最新記事を追うようにしています。

そういえば以前、あなたにもノトーリアスRBGの

Tシャツをあげたんじゃありませんか。

なにしろ、たくさん持っていますからね。

"

〔訳注〕「ノトーリアスRBG」は、ギンズバーグの考え方や法廷での
鋭い弁舌に注目した学生シャナ・ニズニックが、写真を主体とした
SNS「Tumblr」に開設したブログの名前。ニズニックがこのブログ
を通じてギンズバーグの日々の動向を発信したことから、若者を中
心にギンズバーグの大衆的な人気に火がついた。

「ノトーリアスRBG」は90年代に人気を博したラッパー「ノトー
リアスB.I.G.」をもじったもので、その後ギンズバーグの愛称にも
なった。上記のブログが書籍化されたほか、似顔絵をデザインした
Tシャツやマグカップなどさまざまなグッズが販売され、ギンズ
バーグはポップカルチャーにおいてスター的な存在となった。

“

こんな歳になって、

今もう80を超えたのですが、

私の写真を撮りたがる人の数に

いつも驚かされています。

”

〔訳注〕前述したように、ギンズバーグは「ノトーリアスRBG」とし
て若い世代からも熱狂的支持を集め、講演会には長蛇の列ができ、
握手や写真撮影を求められる、ロックスターのような人気ぶりだっ
た。アメリカでは、日本に比べれば最高裁判事に対する市民の関心
は高いとはいえ、これほどの現象は前例のないことである。ギンズ
バーグは、80歳を超えた高齢者である自身が熱心に写真撮影をね
だられることに驚いていた。しかしその80代の小柄な女性が、法
廷では舌鋒鋭く論述し、真に自由で平等なアメリカを実現しようと
闘っているからこそ、多くの人が彼女を支持したのだろう。

“

今までも何度か言いましたが、
私が23年以上も続けている最高裁判事は、
法律家にとって最も素晴らしく、
夢中になれる仕事です。

”

〔訳注〕ギンズバーグは、「才能さえあれば大物の歌姫になっていた」
と話してもいたが、実際には最高裁判事の仕事に熱中していた。
放っておくと寝食を忘れて没頭することもあるので、しばしば夫の
マーティンが執務室に迎えに行き、家族と一緒に食事を取らせたり
睡眠を促したりもしたという。最高裁判事の仕事に誇りを持ってお
り、職務に全力であたるために、健康上の問題を理由に法廷を欠席
しないよう工夫し、体力づくりにも気を配っていた。この発言の後
も、ギンズバーグは2020年9月に亡くなるまで、27年間にわたり
職務に励み続けた。

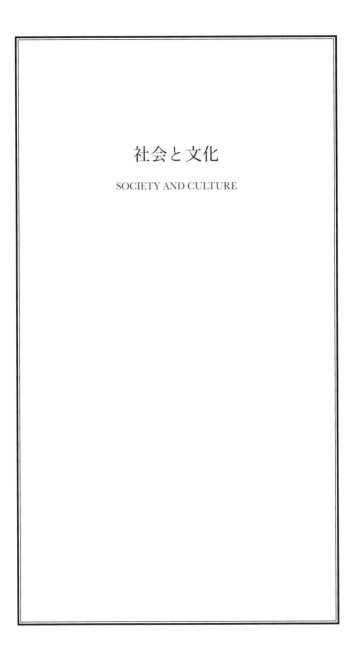

社会と文化

SOCIETY AND CULTURE

HERO. ICON. DISSENTER.

RBG

"

利益のためにビジネスをしている人は

誰であっても、

自分の信念を従業員に押しつけることはできません。

それに共感しない人も多いのですから。

"

〔訳注〕2014年のホビー・ロビー裁判 (p.42も参照) では、敬虔なクリスチャンであるホビー・ロビー社の雇用主が、女性従業員に対して、避妊薬なども含まれる医療保険の支払いを拒否する権利が認められた。ギンズバーグはこの判決に反対だったが、5対4で少数派に甘んじた。インタビューでこの裁判について尋ねられたギンズバーグは、雇用主の信教の自由や信条については当然認めているが、雇用主がそれを必ずしも同じ信条を持たない従業員に押しつけてはいけないと答えている。

社会と文化

"

私たちのシステムは、
お金に毒されてしまっていると思います。

"

〔訳注〕2015年のジョージタウン大学での法学生に向けた講演で、「元
に戻すべき判例を一つ選ぶとしたら何か」と尋ねられたギンズバー
グは、2010年のシチズンズ・ユナイテッド裁判の判例だと答えた。
　この裁判は、保守系非営利団体シチズンズ・ユナイテッドが、当
時の民主党大統領候補ヒラリー・クリントンを批判する映画の広告
を放映しようとした際、その妨げとなる超党派キャンペーン改革法
（BCRA、企業や非営利団体、労働組合に対して、予備選挙の30日
前および本選挙の60日前から「選挙運動を目的としたコミュニケー
ション」を行ったり、候補者の当選・敗北を促す支出をしたりする
ことを禁じた法律）の違憲性を問うものだった。最高裁は、BCRA
の一部は言論の自由に反するとして5対4で違憲判断を下した。
　この判決は、企業や労働組合による無制限の選挙資金支出を認
め、選挙広告や敵対候補へのネガティブキャンペーンに巨額の資金
が投入されることを許すもので、その構造をギンズバーグは「金に
毒されている」と表現した。

"

自分にとって大切なことのために闘ってください。

ただし、

他の人が仲間に加わりたいと思うようなやり方で。

"

〔訳注〕2015年、ハーバード大学ラドクリフ高等研究所での昼食会で、現代の若い女性に贈るアドバイスとして答えた発言。p. 79の引用にも通じるが、ギンズバーグは、意見を異にする相手の反感をむやみに買って交渉の余地をなくすような言動は、目的を果たすのに適切でないと考えていた。一方的に自分の意見を押しつけるのではなく、賛同する仲間を増やし、論敵を説得できるようなやり方で闘うことが重要であると語っている。

"

私は他者に耳を傾け、
他者から学ぶことが大切であると
強く信じています。

"

〔訳注〕ギンズバーグは 2012 年のエジプト出張時に現地のテレビ番組に出演し、2011 年の革命を経て今後行われるエジプトの民主的な憲法制定についてコメントした。ギンズバーグは、第二次世界大戦後に制定された憲法や条約には、権利や自由について具体的かつ現代的に保障しているものが多いので、それらを参照し、自国の憲法制定に役立ててはどうかと提案した。したがってこの発言は、「他国に目を向け学ぶこと」を意図したものだが、引用の翻訳に際しては、より普遍性を持たせるために「他者」と訳した。

"

人に影響を与えて、

自分の提案を受け入れてもらうためには、

「英語がわからないのか」

「なぜそんなことが言えるのか」などと言わないこと。

攻撃的になるより、丁寧な言い方をしたほうが、

もっと受け入れてもらえます。

"

〔訳注〕2009年のニューヨーク・タイムズ紙のインタビューから。ハーバード大学のロー・スクール教授マイケル・クラーマンは、ギンズバーグは男性弁護士の書面に影響を与えるのが非常にうまく、事件がギンズバーグに引き継がれたと感じさせないようにしていたと指摘している。このことがインタビューで話題になったとき、ギンズバーグはそれを意図的なアプローチだったと言い、意見を異にする相手に対して説得したり交渉したりする際のコツを述べた。

"

　　私たちは、今も効力のある、

　世界で最も古い成文憲法を持っており、

それは「我ら人民は」という言葉から始まります。

"

〔訳注〕p.78と同じ、エジプトでテレビ番組に出演した際の憲法に関する発言。アメリカ合衆国憲法は世界最古の成文憲法であり、三権分立や抑制と均衡の概念、司法の独立性などの優れた側面を持っていると称賛したが、一方で「我ら合衆国の人民は」という言葉から始まるにもかかわらず、女性や奴隷、ネイティブ・アメリカンを排除して制定されたものであり、これから民主的な憲法を制定することになるエジプトが手本にするには向いていないだろうと述べた。そしてカナダの権利と自由憲章やヨーロッパ人権条約など、現代（第二次世界大戦後）に制定された世界の優れた取り決めを参照することを勧めた。

"
怒り、嫉妬、恨みなどの感情に
邪魔されないこと。
これらはエネルギーを消耗し、
時間を浪費させるだけです。
"

［訳注］ギンズバーグは母親から「レディであれ」ということをたびた
び教えられていた。母のいう"レディ"は、引用の通り、感情をコン
トロールし、怒りや嫉妬、恨みなどの感情に振り回されない女性
のことである。ギンズバーグは尊敬する母の教えに忠実だった。
　ただし、その態度が崩れてしまうときもある。たとえば2016年、
当時大統領候補で数々の差別的な政策を公約に掲げていたドナル
ド・トランプに対して、「詐欺師」「トランプが大統領になった場合
の国のありかたを想像できない」と珍しく感情的な発言をした。ギ
ンズバーグはその後、判事として大統領候補者に言及することは避
けるべきだったと謝罪している。

社会と文化

"
相手に不快な思いをさせることなく、
異議を唱えることはできます。

"

［訳注］2016年のテンプル・エマニュエル・スカーボールセンター
での講演をはじめ、ギンズバーグはこの言葉をたびたび口にしてい
たという。ギンズバーグの訃報に接した多くの人が、彼女はこの言
葉の体現者だったとその死を悼んだ。

　そのことを具体的に示すエピソードの一つは、ギンズバーグと同
僚判事アントニン・スカリアとの友情だろう。スカリアは保守派
の厳格な原典主義（合衆国憲法は制定時のままの意味で解釈すべき
という考え方）であり、ギンズバーグとは性格も考え方も正反対で
あったが、憲法や最高裁に対する尊敬の念において互いを認め合っ
ていた。また、オペラ好きという共通点もあり、プライベートでは
家族ぐるみでつきあいがあった。2016年にスカリアが亡くなった
とき、ギンズバーグは「私たちは最高の相棒でした」と語っている。

"

　　シモーヌ・ド・ボーヴォワールの
『第二の性』を読みましたが、目から鱗でした。
　　もしかすると法律が社会の変化に
追いつけるかもしれないと思いはじめました。
　　それは、勇気づけられる考えでした。

"

［訳注］『第二の性 (*The Second Sex*)』は、「女に生まれるのではない、女になるのだ」という有名な一節を含む、フランスの実存主義者による女性論 (1949年刊)。男性主体の文明において女性がその二次的な存在とされてきた歴史を振り返り、男性による「女性神話」からの解放を示唆するとともに、女性が人生のどの段階でいかにして「女」として規定され、抑圧されていくのかを考察する。賛否両論を巻き起こしつつ、1970年前後のフェミニズムに大きな影響を与えた。1970年代に法律家としてのキャリアを本格化させたギンズバーグは、この本に大きく影響されたとたびたび語っている。

"
法律は、単に生計を立てるためのものでなく、

あなたのコミュニティで少しでも

生きやすくなるために

役立つと考えられてきました。
"

〔訳注〕ギンズバーグは2017年のスタンフォード大学での講演でも、学生たちに「弁護士という職業を自分のためにこなすだけなら、単にスキルを持っているということにしかならない。真にプロフェッショナルになりたいのであれば、自分以外のこと、コミュニティのほころびを修復するようなこと、自分よりも恵まれない人々の生活をより良くするようなことをするだろう」と語っている。

"
　　一般的に、私たちの社会における変化は
　　　　少しずつ起こると思います。
　　　本当の、長続きする変化は、
　　　　　一歩ずつ進むものです。
"

〔訳注〕最高裁判事承認公聴会での発言。ギンズバーグは性差別について
の裁判を担当した経験を通して、男性の裁判官たちが、女性へ
の不平等な扱いを、決して女性への憎しみを示す邪悪な差別ではな
く、女性を清潔で明るい家庭の中に保護するためのものと捉えてい
ることに気づいた。男性が女性に与えたつもりの「台」こそが、女
性の機会や願望を制限する「檻」になっていることを理解させなけ
ればならないと強く感じたが、明らかに悪だと認識される人種差
別と違い、性差別は一日で学べる教訓ではないともわかっていた。
またギンズバーグは、「裁判官は単独で法理を形成するのではなく、
政府の他の機関や国民との対話に参加しているのです。……憲法や
コモン・ローに基づく裁定においては、基本的に、慎重に動くべき
だと考えています。経験からいって、法理があまりにも急速に形成
されると、不安定になる可能性があります」とも述べている。

"

読書は、
人生におけるたくさんの良いことへの
扉を開く鍵です。
読書が私の夢を形づくり、
さらなる読書が
夢を実現させる手助けをしてくれました。

"

〔訳注〕スーパーヒーロー・デー (生徒がおのおのの思うスーパーヒー
ローの仮装をする日) に自身の仮装をした8歳のミシェル・スリー
フットにギンズバーグが送った手紙の一節。ギンズバーグは引用の
言葉を含むタイプした手紙とともに直筆の手紙も同封し、受け取っ
たミシェルは感激したという。

“

私たちは、

万人のための自由、平等、正義という、

私たちが支持している基本理念が、

途方もない難題に直面している時代を生きています。

…… 一方で、このような時代において私たちは、

これらの理念を守り、

同じような課題に立ち向かう者どうしで、

手を取りあうことができます。

”

〔訳注〕2005年にケンブリッジ大学エマニュエル・カレッジで行われた講演での言葉で、フロリダ国際大学ロー・スクールの学術誌『FIU Law Review』にも再録されている。憲法に基づく裁定において、世界の意見や法律を参照することの是非をテーマにしたスピーチの最後に、ギンズバーグはこのように述べた。

アメリカにおける人工妊娠中絶規制

　人工妊娠中絶の規制問題は、女性の権利と宗教的倫理観、医師会の権威、経済的社会的格差などにも深くかかわるテーマであることから、アメリカ合衆国においては長年にわたり、国を二分して議論を巻き起こしている重大なテーマとなっている。

　18〜19世紀のアメリカでは、母親が初めて胎動を覚える前の中絶については寛容で、女性は比較的容易に助産師や薬剤師などの手を借りて人工中絶を行うことができていた。しかし1857年から、米国医師会による中絶撲滅運動が起こり（医師の権威回復やジェンダー・人種・階級上のイデオロギーなどが根底にあった）、1880年までに多くの州で中絶禁止法が制定された。以後、時代によって波はあるものの、1960年代に至るまで中絶はアメリカでは基本的に厳しく禁止されていた。とはいえ、こうして中絶が医療的判断になっても、中流以上の経済力がある白人女性であれば、医師の判断により合法的に、安全に中絶を行える可能性があった。中絶禁止法の悪影響をより大きく被ったのは、経済力のない女性や、社会的に弱い立場にあるアフリカ系やラテン系の女性が多かった。

　1950年代半ばから、中絶を認める条件があまりに厳しく、違法中絶により母体の健康が損なわれる事例が増大したことを問題視する医師らが法改正を求めた。また、薬害や病気による胎児障害の恐れによって、中絶法の改正を支持する世論が高まり、中絶法の自由化を求める運動も各地で始まった。さらに1960年代に入ってフェミニズム運動が活発化し、中絶の選択を医者や法律家ではなく女性自身の権利問題としてとらえ直されたことで、法改正運動は規制緩和よりも廃止を目指すものに大きく方向転換した。そうして1970年にいくつかの州で中絶規制が廃止され、1973年のロー裁判の最

高裁判決により、条件付きではあるが、全国で中絶が認められるようになった。

　しかし1980年代から、クリニックや女性への暴力・脅迫を含む中絶反対派の激しい抵抗運動が続き、1995年には、部分出産中絶禁止法が合衆国議会に提出され2003年に制定されるなど、ふたたび中絶を規制する動きが起こった。また、支持層のキリスト教右派を意識して人工妊娠中絶の非合法化を公約としたドナルド・トランプが大統領に就任すると、この傾向はますます顕著になり、複数の州で胎児の心拍確認以降の中絶を厳しく規制する法律が定められた。

　現在もアメリカではプロチョイス（女性の選択を尊重する中絶支持）派とプロライフ（胎児の生命を尊重する中絶反対）派に世論が分かれ、この議論について連邦としての方針を定めることになる最高裁の判断にも注目が集まっている。

ロー裁判

　ロー対ウェイド裁判とも呼ばれる人工妊娠中絶をめぐる裁判と、その判決（1973年）を指す。1970年、望まない妊娠をした未婚の女性ジェーン・ロー（仮名）が、テキサス州の刑事中絶法を個人の権利を侵害している点で違憲だとし、居住地の郡のウェイド法務執行官を相手取って集団訴訟を起こした。テキサス州の連邦地裁を経て、最高裁は1973年、7対2でローの主張を認める判決を下した。

　その判決文においては、女性が中絶を選択することは合衆国憲法修正第14条による個人のプライバシーの権利として認められた。一方で、それは絶対的な権利ではなく、女性は妊娠期間の一期目（12週）の終わりまでは医師と相談の上中絶を行うことができるが、二期目以降は女性の健康を保護するため州法は中絶を規制してよく、三期目以降は胎児の生きる権利を認め、母親の生命にかかわる場合を除き中絶を禁止してよいとする条件がつけられていた。とは

いえ、初めて最高裁が中絶を合憲と認めたロー裁判の判決は、その後の中絶法をめぐる議論を方向づけた。ロー裁判はプロチョイス派にとっては規制派をけん制する重要な防波堤として、プロライフ派にとっては覆すべき忌まわしい判例として、現在でも非常に重要視されている。

訳者あとがき

　原書の『Pocket RBG Wisdom』とは、東京駅の本屋で出会いました。かわいらしい本ですが核心を突いた言葉が並んでいて、調べるとそれらの言葉を発したルース・B・ギンズバーグも、小柄な見た目からは容易に想像できない鋭さを持った方でした。

　彼女が暮らしたのはアメリカですが、日本でも未だに、根強い偏見や差別を日常的に目にします。当たり前のように行われる差別、特に性別に基づく差別に疑問を抱き、理性的でクリティカルな言葉で平等のために闘った彼女から、今の時代を生きる私たちも学ぶことがあると考えて本書の刊行に至りました。

　訳者として感じるルース・B・ギンズバーグの魅力は、その思慮深さが滲み出ている言葉選びです。幼少期から読書好きで、ハーバード大学ロー・スクールに在学中は『ハーバード・ロー・レビュー』という法学雑誌の編集に携わり、法律家になってからも多くの書面を作成してきたルースは、言葉への強いこだわりを持っていました。彼女の言葉を訳すには、その背景を知る必要があり、生い立ちやキャリアについて幅広くリサーチしました。そして、ルースの「発言」であることを考慮して、自然な表現を心がけました。これが、法律分野の翻訳者である私にとってはチャレンジでした。さま

ざまな改善案を下さった編集者の小野紗也香さんに、心より感謝申し上げます。解説と訳注も二人三脚で作成し、さらなるリサーチを経て、ルース・B・ギンズバーグという人から多くを学びました。

　また、同じ人間として、彼女の人柄にも魅力を感じました。本来、ルースは控えめで内気な性格でしたが、最高裁判事としてのキャリアにおいて多くの痛烈な反対意見を述べて、考え方の異なる他者とのコミュニケーションに尽力し続けました。なぜなら、それが社会を変えるために必要であると判断したからです。彼女は、自身が差別を受けてきた経験から、社会の不平等を許さない情熱を持ち、しかし冷静な語り口で周りを説得しました。控えめなのに大胆なルースと向き合っているうちに、私もアメリカの方々と同様に彼女のファンになり、通販で「I Dissent」Tシャツを購入して、それを着て校正作業をしていました。彼女についてもっと知りたい方は、ドキュメンタリー『RBG　最強の85才』(2018年)をご覧になることをおすすめします。

　ルースが、人を傷つけるのではなく助けるために言葉を尽くした結果、アメリカでは多くの場面で女性やマイノリティが法律で守られるようになりました。本書を通してルースと出会えたことに感謝しています。彼女の平等への意識、そして他者に対する姿勢が表れた名言の数々を、明日に生かしていただければうれしく思います。

岡本早織

［出典］（カッコ内の数字は本書掲載頁）

Bloomberg, 12th February 2015 (p. 43)

Conversation at Georgetown University Law Center, 2015 (pp. 62, 76)

CBS News, 11th January 2017 (p. 86)

CNN, 17th March 2009 (p. 66)

C-SPAN, 1st July 2009 (p. 44)

Dissent in the Gonzales v. Carhart decision, 2007 (p. 39)

Dissent in the Shelby County, Alabama v. Holder decision, 2013 (pp. 52, 53)

Economist, 14th May 2018 (p. 28)

Elle, 21st September 2020（2014年のインタビューの再掲）(p. 21)

FIU Law Review, vol.1, No.1, 2006 (p. 87)

Fox News, 6th February 2012 (p. 80)

Huffington Post, 1st February 2012 (p. 78)

Huffington Post, 2nd June 2015 (pp. 27, 33, 77)

Huffington Post, 10th August 2016 (p. 59)

Interview at Duke Law, 2005 (p. 64)

Interview with Katie Couric, October 2016 (p. 55)

Makers, 15th March 2018 (pp. 19, 83, 84)

Makers, 2012 (pp. 20, 31, 68, 81)

My Own Words, R. B. Ginsburg, 2016 (p. 71)

MSNBC, 17th February 2015 (p. 61)

National Geographic, 9th November 2018 (p. 50)

New York Times, 22nd July 1993 (pp. 18, 22)

New York Times, 7th July 2009 (pp. 24, 29, 41, 79)

New York Times, 1st October 2016 (p. 67)

New Yorker, 11th March 2013 (p. 51)

Notorious RBG, Irin Carmon and Shana Knizhnik, HarperCollins, 2015 (p. 85)

NPR, 2nd May 2002 (p. 38)

Oral arguments on Obergefell v. Hodges, 2015 (p. 54)

Speech at the Temple Emanu-El Skirball Center, 21st September 2016 (p. 82)

The New Republic, 29th September, 2014 (p. 75)

The Record; Winter 2001; Vol.56, No.1 (pp. 17, 25, 40, 45, 49)

Psychology Today, 28th May 2018 (p. 37)

Washington Post, 16th April 2015 (p. 70)

Yahoo! Interview, 31st July 2014 (pp. 42, 60, 63)

Vogue, 4th May 2018 (p. 23)

92Y, 19th October 2014 (p. 69)

［日本版参考文献］

Hearing on the nomination of Ruth Bader Ginsburg, to be Associate Justice of the Supreme Court of the United States, 1993
Notorious RBG, Irin Carmon and Shana Knizhnik, HarperCollins, 2015
My Own Words, R. B. Ginsburg, 2016

「アメリカ合衆国における妊娠中絶問題の政治化の過程」小竹聡、『比較法学』40巻
　　1号、早稲田大学比較法研究所、2006年
「アメリカ合衆国における妊娠中絶判決の形成」小竹聡、『早稲田法学』85巻3号、
　　早稲田法学会、2010年
『アメリカ最高裁判所』スティーブン・ブライヤー、大久保史郎監訳、岩波書店、
　　2016年
『ザ・ナイン』ジェフリー・トゥービン、増子久美・鈴木淑美訳、河出書房新社、
　　2013年
『楽しく読もう　対訳アメリカ合衆国憲法』ガース・ウィリアムズ絵、中経出版、
　　1987年
『入門・アメリカの司法制度』丸山徹、現代人文社、2007年
「「部分出産中絶法案」（1995, 1997）とアメリカのプロチョイス運動」緒方房子、
　　『地域研究論集』vol.2、No.2、京都大学地域研究総合情報センター、1999年
『米国司法制度の概説』米国大使館／アメリカンセンター・レファレンス資料室、
　　2012年
「米国における投票権法をめぐる連邦―州関係の展開」安岡正晴、『国際文化学研
　　究』第46号、神戸大学大学院国際文化学研究科、2016年
「翻訳：人工妊娠中絶をめぐる規範の形成」山﨑康仕訳、『国際文化学研究』第40
　　号、神戸大学大学院国際文化学研究科、2013年
「レーガン・ブッシュ政権と最高裁判所」宇田川史子、『東洋女子短期大学紀要』第
　　26号、東洋女子短期大学、1994年
「1965年投票権法による事前承認制度の合憲性」中村良隆、『比較法学』47巻3号、
　　早稲田大学比較法研究所、2014年

ルース・B・ギンズバーグ
(Ruth Bader Ginsburg, 1933-2020)

1993年から2020年に死去するまで27年間にわたってアメリカ合衆国連邦最高裁判事を務める。当時まだ数少なかった女性弁護士としてジェンダー不平等などに関わる訴訟を多く担当し、コロンビア特別区巡回区連邦控訴裁判所の判事に就任。その後、ビル・クリントン大統領に指名されて1993年に連邦最高裁入り。以来、保守化の進む連邦最高裁においてリベラル派の代表的存在となった。意見を異にする立場の人とも対等で友好的なコミュニケーションを築く一方、法廷では舌鋒鋭く反対意見を述べ闘う姿がSNSで注目され、「RBG」「ノートリアスRBG」の愛称で呼ばれるポップアイコンとなった。伝記絵本や映画、ドキュメンタリーが製作され、関連グッズも販売されるなど、大衆の間でも高い人気を誇った。

〈訳者〉

岡本早織
（おかもと・さおり）

1993年、大阪生まれ。中学時代をベルギーのインターナショナルスクールで過ごす。国際基督教大学を卒業し、現在は実務翻訳者。2014年から、「TOKYO+MADE (Humans of Tokyo)」というインタビューサイトの翻訳を担当。2019年から、日本における婚姻の平等（同性婚の法制化）の実現を目指すMarriage For All Japanを翻訳・通訳などにより支援。訳書に『国際化の時代に生きるためのQ＆A②ジェンダーってなんのこと？』（創元社）がある。

ルース・B・ギンズバーグ名言集
──新しい時、新しい日がやってくる

2021年11月10日　第1版第1刷　発行

訳　者　岡本早織
発行者　矢部敬一
発行所　株式会社 創元社
https://www.sogensha.co.jp/

本社
〒541-0047 大阪市中央区淡路町4-3-6
Tel. 06-6231-9010
Fax.06-6233-3111
東京支店
〒101-0051 東京都千代田区神田神保町1-2　田辺ビル
Tel. 03-6811-0662

装丁・組版　松本久木(松本工房)
印刷・製本　図書印刷株式会社

Japanese translation ©2021 OKAMOTO Saori
ISBN978-4-422-32030-4 C0036
〔検印廃止〕落丁・乱丁のときはお取り替えいたします。

＊

本書の感想をお寄せください

投稿フォームはこちらから▶▶▶▶